Ministero per i Beni e le Attività Culturali
Soprintendenza Archeologica di Roma

colosseo

Electa

In copertina
Incisione di un elmo gladiatorio, particolare.
Napoli, Museo Archeologico Nazionale

In quarta di copertina
Colosseo, prospetto esterno
del fronte nord-occidentale

Coordinamento grafico
Dario Tagliabue

Progetto grafico e impaginazione
Tassinari/Vetta Leonardo Sonnoli
con Francesco Nicoletti

Coordinamento editoriale
Cristina Garbagna

Redazione
Gail Swerling
Barbara Travaglini

Traduzione di
Richard Sadleir

a cura di
Soprintendenza Archeologica di Roma
Electa

Testi di
Marta Chiara Guerrieri

Editor
Nunzio Giustozzi

Referenze fotografiche

– Archivio fotografico
della Soprintendenza Archeologica
di Roma: 4, 25, 32, 36, 37
– Archivio fotografico della Soprintendenz
per i Beni Archeologici delle province
di Napoli e Caserta: 41, 49
– Archivio Mondadori Electa/ Marco Cov
6, 7, 8, 9, 10, 11, 13, 18, 19, 20, 21, 22, 23, 2
27, 28, 29, 30, 31, 33, 35, 38, 39, 58-59
– Archivio Mondadori Electa
su concessione del Ministero per i Beni
e le Attività Culturali: 43, 45, 52-53
– Archivio Vasari, Roma: 5
– Foto D. Stokic, Nîmes: 55
– Foto École Nationale Supérieure
des Beaux-Arts, Paris: 14-15, 16-17, 47
– Foto M.V. Scucciari, Rieti: 57
– © Photo RMN, Paris: 51

Ristampa 2008
Prima edizione 2007

Una realizzazione editoriale
Mondadori Electa S.p.A., Milano

www.electaweb.com

sommario
contents

Veduta, dall'anfiteatro, del settore sud-occidentale della valle del Colosseo. Sullo sfondo, l'Arco di Costantino; davanti, le fondazioni della *Meta Sudans* e, in primo piano, le strutture della *Domus Aurea* di Nerone *alla pagina a fianco* La *Meta Sudans* in una foto d'epoca, prima delle demolizioni del periodo fascista

South-west segment of the valley of the Coliseum viewed from the amphitheatre. In the background the Arch of Constantine. In front, the foundations of the *Meta Sudans*. In the foreground are the structures of Nero's *Domus Aurea opposite page* The *Meta Sudans* in a period photo, before being demolished in Fascist times

Prima del Colosseo

La valle del Colosseo si trova racchiusa tra diversi colli: il Palatino, la Velia (livellata negli anni trenta per far posto alla via dell'Impero), il Fagutale, l'Oppio e il Celio. Rispetto a come si presenta oggi, essa era anticamente assai più stretta e profonda, con le pendici dei colli adiacenti scoscese, ed era attraversata da corsi d'acqua che venivano giù dalle alture. Nonostante le caratteristiche geomorfologiche non fossero particolarmente adatte all'insediamento umano, la valle fu abitata fin dalle origini dell'Urbe (VII-VI secolo a.C.), quando le popolazioni che si erano insediate sui colli per motivi difensivi cominciarono a scendere e a spostare le proprie attività verso il Tevere. ▶

Before the Coliseum

The valley of the Coliseum is enclosed by a number of hills: the Palatine, the Velia (levelled in the thirties to lay out Via dell'Impero) the Fagutal, the Oppian and the Caelian. In the past the valley was much narrower and deeper, surrounded by the rugged slopes of adjacent hills and crossed by streams that flowed down from them. Though the geomorphology of the area was not particularly suitable for human settlement, the valley had been inhabited since the origins of Rome (seventh–sixth centuries B.C.), when the populations who had settled on the hills for the sake of defence began to descend into the valley and shift the centre of their activities towards the Tiber. ▶

Veduta notturna da
via dei Fori Imperiali
alla pagina a fianco
Veduta dall'Arco
di Costantino

Nighttime view from
Via dei Fori Imperiali
opposite page
View from the Arch
of Constantine

6

Le conferme della primitiva urbanizzazione della valle si trovano sia nelle tradizioni mitiche di Roma, in cui la zona appare come il vertice nord-orientale della "città quadrata" fondata da Romolo, sia soprattutto nei risultati degli scavi più recenti: alle pendici nord-orientali del Palatino, sul fianco sud della via Sacra, sono stati ad esempio portati alla luce i resti di un'area sacra che impiantata nel VI secolo a.C., continuò la sua vita per secoli, fino all'incendio del 64 d.C. Alla fine del VI secolo a.C. risale inoltre la bonifica dei corsi d'acqua che scorrevano nella zona e la regolarizzazione delle vie di comunicazione, prima tra tutte quella che collegava la valle con l'area del Circo Massimo, e quindi con il Tevere (ricalcata oggi da via di San Gregorio). Nella valle furono poi costruiti nel tempo edifici pubblici e abitazioni private, tanto che negli ultimi secoli della Repubblica e nella prima età imperiale essa appare come uno dei quartieri più abitati di Roma, nonché uno dei più importanti, essendo percorsa nel suo limite occidentale dalla via dei Trionfi, che dal Circo Massimo conduceva la processione dei generali trionfanti fino alla via Sacra e al Foro.

La prima drastica cesura nell'utilizzo e nell'aspetto della valle avvenne nel 64 d.C., quando il famoso incendio, che distrusse mezza Roma e che da alcune fonti fu attribuito a Nerone, rase al suolo anche gli edifici di questa zona. L'imperatore, che stava costruendo sul Palatino un palazzo, anch'esso andato distrutto (la *Domus Transitoria*), utilizzò la valle e le alture circostanti per creare la più grande residenza imperiale mai vista a Roma fino ad allora, la *Domus Aurea*. Al centro della valle, nell'area poi occupata dall'Anfiteatro Flavio, Nerone fece costruire un laghetto artificiale, alimentato dalle acque provenienti dal tempio del Divo

Confirmation of the urban development of the valley in primitive times is found in the mythical traditions of Rome, in which the area appears as the north-eastern tip of the "Roma quadratus" said to have been founded by Romulus, and above all by the most recent excavations. On the north-east slopes of the Palatine, to the south of the Via Sacra, they have brought to light remains of a sacred area that was founded in the sixth century B.C. and continued to be active for centuries, down to the fire in 64 A.D. Late in the sixth century B.C. the streams that flow through the area were channelled and the layout of the main roads, notably one connecting the valley with the site of the Circus Maximus, and then with the Tiber (today Via San Gregorio follows the same route). Public edifices and private residences were then built in the valley, until in the last centuries of the Republic and the early Imperial period it seems to have been one of the most populous districts of Rome, as well as one of the most important. This was because its western boundary was skirted by the route of the processions, as they came from the Circus Maximus, offered to generals who had been awarded a triumph. The first drastic setback to the development of the valley occurred in 64 A.D., when the fire that destroyed half of Rome (and which some sources have attributed to Nero) razed the buildings in this district to the ground. At that time the emperor was building a palace for himself on the Palatine, which was also destroyed (the *Domus Transitoria*). He then used the valley and the neighbouring hills to create the largest imperial residence ever seen at that date in Rome, the *Domus Aurea*. In the centre of the valley, on a site then occupied by the Flavian Amphitheatre, Flavian built an artificial pool, supplied with water from the Temple

8

Prima del Colosseo
Before the Coliseum

a fianco
Prospetto esterno
del fronte nord-
occidentale con
lo sperone costruito
agli inizi del XIX
secolo su progetto
di Giuseppe Valadier
sotto
Cippo di travertino
posto sul limite
dell'area di rispetto
dell'anfiteatro

opposite
External elevation
of the north-west
front with the
spur-shaped
buttress designed
by Giuseppe Valadier
in the early
nineteenth century
below
A travertine
boundary stone
marking the edge
of the amphitheatre
precinct

Claudio sul Celio, trasformato in un monumentale ninfeo. Sui lati sud, ovest e nord della valle, il laghetto fu circondato scenograficamente da portici e terrazze, di cui alcuni resti sono ancora oggi visibili sul lato occidentale della piazza del Colosseo; a est invece si doveva estendere uno dei grandi parchi ricordati dalle fonti. Sulla Velia, l'altura tra il Palatino e l'Esquilino, nel luogo poi occupato dal tempio di Venere e Roma, era l'enorme vestibolo d'ingresso della residenza, dove le fonti antiche dicono fosse collocata la gigantesca statua bronzea di Nerone, poi trasformata dagli imperatori successivi in quella del dio Apollo e infine del Sole.

A causa della morte di Nerone nel 68 d.C. e della sua *damnatio memoriae* (la condanna postuma e l'eliminazione di ogni traccia monumentale del suo operato), le costruzioni progettate nella valle non furono mai concluse. La nuova dinastia al potere, quella dei Flavi, operò la definitiva trasformazione della valle, che da centro della residenza imperiale divenne il quartiere degli spettacoli con la costruzione dell'anfiteatro e degli edifici a esso annessi.

of the Deified Claudius on the Caelian, transforming it into a monumental nymphaeum. On the south, west and north sides of the valley, the pool was surrounded with highly scenic porticoes and terraces, of which some can still be seen today on the west side of the square of the Coliseum; to the east extends one of the great parks mentioned in the sources. On the Velia, the hill between the Palatine and the Esquiline, on a site then occupied by the temple of Venus and Rome, was the enormous vestibule of the entrance to the residence, where the ancient sources tell us stood a gigantic bronze statue of Nero, transformed by subsequent emperors into that of the god Apollo and finally the Sun.

Because of Nero's death in 68 A.D. and of the *damnatio memoriae* (a posthumous sentence that entailed the obliteration of all trace of his monuments), the buildings planned in the valley were never completed. The new dynasty in power, the Flavians, were responsible for the final transformation of the valley. They converted it from the site of an imperial residence into the district of public entertainments by building the amphitheatre and the buildings annexed to it.

alla pagina a fianco
L'interno con visibili
i locali posti al di sotto
del piano dell'arena
alle pagine 14-15
Louis-Joseph Duc,
*Prospetto del
Colosseo lungo l'asse
maggiore*, 1830.
Parigi, École
Nationale Supérieure
des Beaux-Arts
alle pagine 16-17
Louis-Joseph Duc,
*Sezione del Colosseo
lungo l'asse
maggiore*, 1830.
Parigi, École
Nationale Supérieure
des Beaux-Arts

opposite page
Interior showing the
storerooms below
the floor of the arena
pages 14–15
Louis-Joseph Duc,
*Elevation of the
Coliseum along its
principal axis*, 1830.
Paris, École
Nationale Supérieure
des Beaux-Arts
pages 16–17
Louis-Joseph Duc,
*Section of the
Coliseum along its
principal axis*, 1830.
Paris, École
Nationale Supérieure
des Beaux-Arts

Il Colosseo e la sua storia

12 Il progetto dei Flavi rispondeva a fini utilitaristici e funzionali, dal momento che la città non aveva ancora mai avuto un anfiteatro stabile, ma anche a scopi politici: restituendo al popolo romano gli spazi che Nerone gli aveva requisito per la *Domus Aurea* e trasformandoli in un quartiere destinato all'intrattenimento pubblico, Vespasiano e i suoi figli, Tito e Domiziano, diedero il via a un'operazione demagogica con il chiaro intento di legare la plebe urbana alla nuova casa imperiale. ▶

The Coliseum and its history

The project of the Flavians responded to utilitarian and functional purposes, since the city still lacked a permanent amphitheatre, but it also had a political aim: by restoring to the Roman people the spaces that Nero had requisitioned for the *Domus Aurea* and transforming them into a district assigned where public entertainments could be presented, Vespasian and his sons, Titus and Domitian, promoted a demagogic policy of winning support from the common people of the city for the new imperial house. ▶

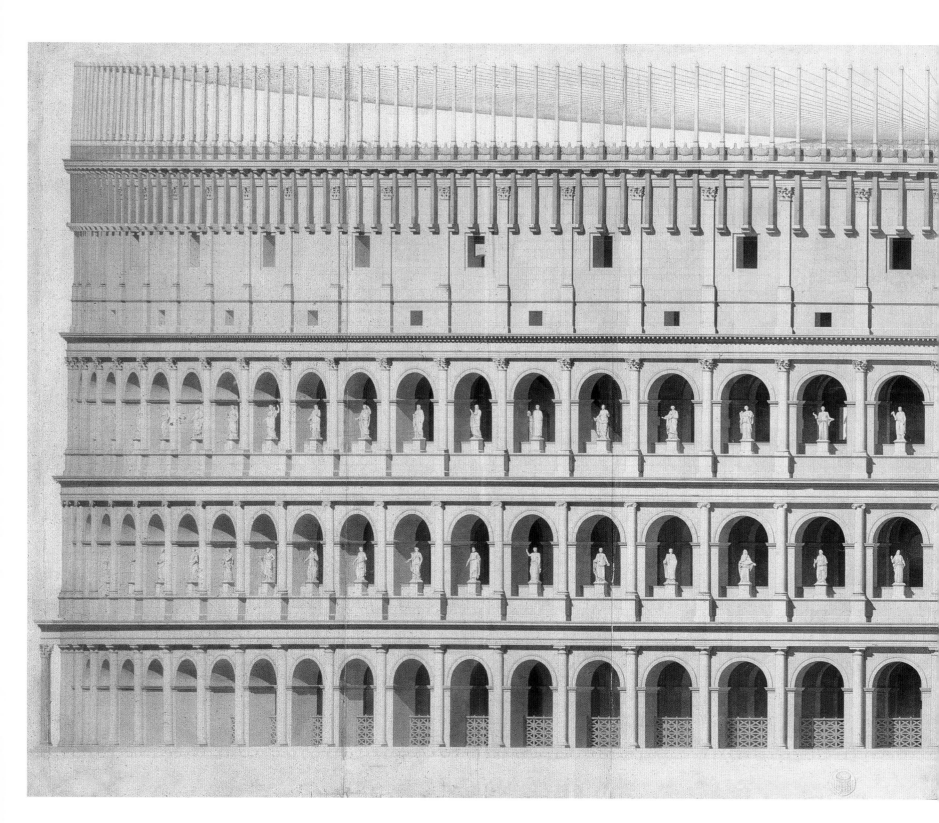

Il Colosseo e la sua storia
The Coliseum and its history

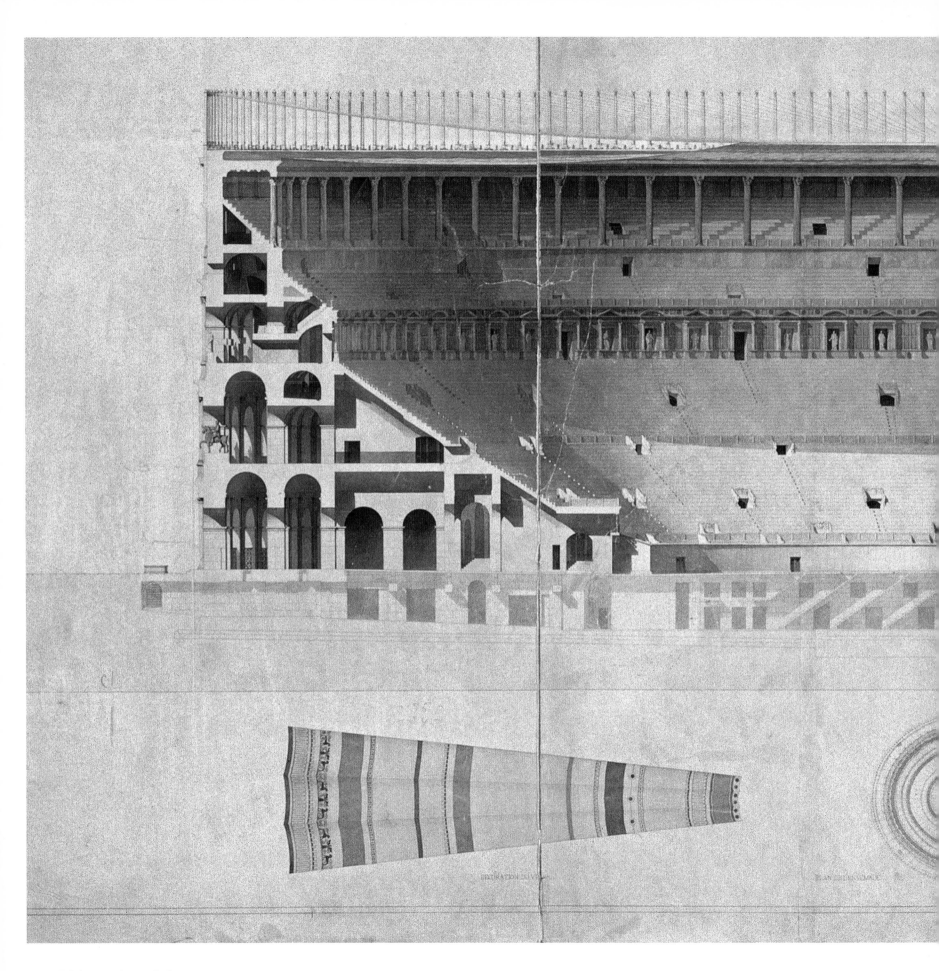

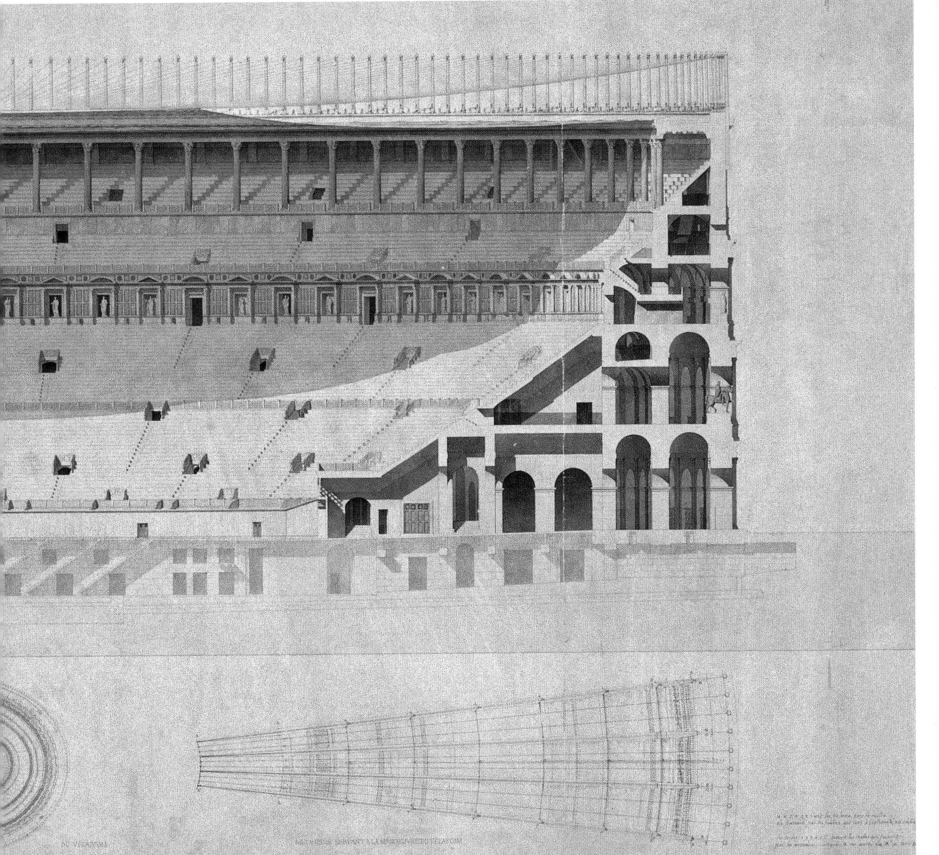

La grande cavea
vista da diverse
angolazioni

The great cavea seen
from different angles

La costruzione di questo enorme edificio coprì dieci anni: fu iniziato da Vespasiano poco dopo la sua salita al trono e inaugurato da Tito nell'80 d.C. con spettacoli durati ben cento giorni. Notevole fu dunque la velocità di esecuzione, anche grazie al riutilizzo di strutture preesistenti del bacino neroniano, ed enormi furono le spese sostenute, cui la dinastia flavia provvide con le ricchezze conquistate da Tito dopo la guerra giudaica. Al momento dell'inaugurazione, i lavori non erano conclusi: fu Domiziano a terminare la costruzione degli ultimi ordini esterni e del piano ipogeo di servizio al di sotto dell'arena.

Tutti gli imperatori successivi, fino alla tarda antichità, si preoccuparono di offrire frequentemente al pubblico spettacoli nell'anfiteatro, segno dell'enorme successo che i giochi gladiatori e le cacce avevano presso il popolo romano. Famoso per la sua passione per i giochi gladiatori fu l'imperatore Commodo, che non solo organizzava spettacoli fastosi, ma partecipava personalmente ai combattimenti e alle cacce alle fiere, definendosi lui stesso gladiatore: peccato che sappiamo dagli autori antichi come queste sue esibizioni non fossero altro che finte rappresentazioni e che mai abbia realmente rischiato la vita!

Ben presto, sotto Antonino Pio (138-161 d.C.) si resero necessari i primi interventi di restauro in seguito a un incendio. Gli incendi nei secoli danneggiarono più volte l'anfiteatro a causa dell'abbondante presenza di strutture in legno (i tavolati dell'arena, le macchine sceniche negli ipogei, le tribune dell'ultimo ordine ecc.) e degli effetti devastanti del fuoco sulla pietra e sulle grappe di metallo che tenevano insieme i blocchi.

The construction of this enormous building took ten years: it was begun by Vespasian soon after his ascent to the throne and inaugurated by Titus in 80 A.D. with shows that lasted no less than a hundred days. So construction was rapid, partly thanks to the reuse of existing structures from Nero's building sites, and the cost was immense, but the Flavian dynasty was flush with riches from Titus's victory in the Jewish wars. When it was officially inaugurated, the works were not yet finished. It was Domitian who completed the last external orders and the hypogeum (underground level) which contained service facilities set below the arena.

All subsequent emperors until late antiquity took care to offer frequent public shows in the amphitheatre, a sign of the enormous popularity that the gladiatorial combats and the *venationes* (in which wild animals were hunted) had among the Romans. Well known for his passion for the gladiatorial games, the emperor Commodus not only organised lavish shows but took part personally in the battles and wild beast hunts, calling himself a gladiator: the fact is that we know from the ancient authors that these exhibitions were faked and he never really risked his life!

Quite soon, under Pius Antoninus (138–161 A.D.), the first repairs became necessary following a fire. Through the centuries fires damaged the amphitheatre on various occasions because of the extensive use of timber in the structures (the planking of the arena, the scenic machinery in the hypogeum, the platforms on the upper order, etc.) and also the devastating effects of some fires on the stonework and the metal brackets that held the blocks in place. The worst fire that ravaged the Coliseum

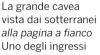

L'incendio che ebbe le conseguenze peggiori per il Colosseo fu quello scoppiato nel 217 d.C.: il monumento rimase inagibile per cinque anni. Nel 222 venne nuovamente inaugurato, ma i lavori proseguirono per altri vent'anni: ciò spiega perché le strutture ancora oggi conservate dell'anfiteatro non siano di età flavia ma del III secolo d.C.

La storia del Colosseo è segnata da una parte dalla sua importanza e centralità nella vita del popolo romano e dall'altra dal suo percorso, che corre parallelo alla storia di Roma. Come Roma, infatti, tra la fine del IV secolo e il successivo fu sconvolta dagli assedi e dai saccheggi dei Visigoti e dei Vandali e distrutta da terremoti e incendi, cominciando a poco a poco a spopolarsi e a impoverirsi, così il Colosseo dopo il saccheggio dei Visigoti di Alarico nel 410 fu gravemente danneggiato e rimase inutilizzato per anni. Una volta restaurato sotto Onorio I e Teodosio II agli inizi del V secolo, fu colpito da terremoti che peggiorarono ancor più il suo stato e causarono, per le rovine accumulatesi negli ipogei, l'inizio del processo di interramento di questi ambienti.

Parallelamente al crescente degrado delle strutture e alla difficoltà di porvi rimedio, cresce il disinteresse e in alcuni casi l'avversione della classe dirigente e degli imperatori, ormai per lo più cristiani, verso i sanguinosi spettacoli gladiatori, che, seppur ancora seguiti, non esercitano più l'attrattiva dei secoli precedenti. Nel 438 d.C. Valentiniano III abolisce definitivamente gli spettacoli gladiatori, mentre le *venationes* continueranno almeno fino al 523.

Date queste premesse, si comprende facilmente come tra la

broke out in 217 A.D.: the building was unserviceable for five years. In 222 it was again inaugurated but work went on for another twenty years: this explains why the structures of the amphitheatre preserved today do not date from the Flavian period but from the third century A.D.

The history of the Coliseum reveals its importance and centrality in the life of the Roman people and at the same time its vicissitudes parallel the history of Rome. Just as Rome, in the later fourth and fifth centuries, was damaged in sieges, pillaged by Visigoths and Vandals, and destroyed by earthquakes and fires, with the result that the city gradually became depopulated and impoverished, so the Coliseum after being plundered by the Visigoths under Alaric in 410 was seriously damaged and remained unused for years. Again restored under Honorius I and Theodosius II in the early fifth century, it was struck by earthquakes that weakened its structure and caused, with the ruins that accumulated in the hypogeum, the start of the gradual interment of its underground spaces.

As its structures decayed and there was increasing difficulty in keeping it in good repair, the city's ruling class and emperors, most of whom were now Christians, felt growing indifference or even aversion for the bloody gladiatorial shows. Though they still continued, they were no longer such a great attraction as in previous centuries. In 438 A.D. Valentinian III put an end to the gladiatorial shows, but the *venationes* continued till at least 523.

When these changes took place, it is easy to understand why the late fourth and early fifth century saw the start of the process of plundering and reusing the materials of the Coliseum, which was to continue for centuries and is the reason for its current appearance. For example,

22 fine del IV e gli inizi del V secolo cominci quel fenomeno di spoglio e riutilizzo dei materiali del Colosseo che proseguirà per secoli, determinandone l'aspetto odierno: ad esempio, le innumerevoli lacune visibili sulla facciata esterna di travertino altro non sono che i buchi effettuati per prelevare il metallo delle grappe che tenevano insieme i blocchi. L'attività di smontaggio interessò tutto il monumento, ma in particolare l'interno e la parte sud, al punto che l'anello esterno meridionale, come anche oggi si vede, fu col tempo interamente demolito. Il settore settentrionale fu invece risparmiato perché si trovava affacciato su un asse stradale molto importante: la via che dal Palatino, sede del potere politico, e dal centro cittadino andava verso il Laterano, sede pontificia.

Per tutto il Medioevo e il Rinascimento il Colosseo servì da cava di materiali edilizi – utilizzata anche dai papi per la costruzione della basilica di San Pietro – e da contenitore: vi furono costruiti all'interno ricoveri per animali, piccole abitazioni e laboratori artigianali. Agli inizi del XII secolo, la nobile famiglia dei Frangipane, che all'epoca controllava tutta la zona dal Foro Boario al Palatino, impiantò nel settore orientale dell'anfiteatro un palazzo fortificato: di questo come delle altre strutture postantiche e medievali gli sterri compiuti nell'Ottocento hanno cancellato quasi ogni traccia.

Nei secoli il monumento aveva acquistato anche un carattere di sacralità in ricordo dei martiri che le fonti cristiane dicevano essere stati uccisi durante i giochi: questo ricordo è ufficializzato per il Giubileo del 1675 con un decreto papale e nel 1720 l'arena diventa sede delle edicole della *Via Crucis* percorsa ogni

the innumerable gaps in the outer travertine façade are simply the holes made to remove the metal brackets that held the blocks together. The whole building suffered, particularly the interior and south side, to the point where the outer circle on the south side was eventually demolished, as can be seen today. The north side, however, was saved because it stood on a major urban axis, the thoroughfare that ran from the Palatine, the seat of political power, and the city centre to the Lateran, the seat of the papacy.

All through the Middle Ages and Renaissance, the Coliseum served as a quarry for building materials, with even the popes helping themselves when they were building the basilica of St. Peter's. The Coliseum also served as a general container: in it people built themselves animal pens, small houses and craft workshops. At the start of the twelfth century, the noble family of the Frangipane, which at that time controlled the whole area from the Forum Boarium to the Palatine, built themselves a fortified residence in the eastern area of the amphitheatre. All trace of this, as of the other post-ancient and mediaeval structures, was obliterated by the nineteenth-century excavations.

At the same time, over the centuries the monument had also gained an aura of sanctity from the memory of the martyrs stated by Christian sources to have been sent to their deaths in the Forum. This memory was made official by papal decree in the Holy Year of 1675. In 1720 the Stations of the Cross were installed in the arena and every year the pope performs the *Via Crucis*. At the same time, more frequent measures were taken to restore the ruined structure and curb spoliation.

24 anno dal papa. Contemporaneamente, si fanno più frequenti gli interventi di restauro sulle strutture in rovina e diminuiscono le spoliazioni.

È però solo nell'Ottocento che iniziano i primi scavi sistematici e i primi restauri di grande portata. Le strutture ipogee vengono finalmente portate alla luce, ma con enormi sterri che causarono purtroppo la perdita di molte informazioni oggi preziose. Raffaele Stern nel 1805-1807 costruisce lo sperone in laterizio per rafforzare le strutture perimetrali orientali a rischio di crollo e Giuseppe Valadier farà lo stesso a ovest vent'anni dopo. Successivamente, sarà oggetto di restauro anche la parte interna del Colosseo e tutt'oggi la Soprintendenza Archeologica di Roma si occupa di conservare e restaurare il monumento, nonché di effettuare scavi e sondaggi per recuperare informazioni sempre più precise sulla sua storia.

It was, however, only in the nineteenth century that the first systematic excavations were conducted and the first major restoration completed. The hypogeal structure were finally brought to light, but with enormous excavations that unfortunately destroyed a great deal of information that would have been precious today. In 1805–07 Raffaele Stern built a brick spur to buttress the structure of the east perimeter, which was in danger of collapse, and Giuseppe Valadier did the same for the west side twenty years later. Subsequently, the interior of the Coliseum was also restored and at present the Archaeological Service in Rome is engaged in preserving and restoring the monument, as well as carrying out excavations and surveys to recover precise information about its history.

La struttura del monumento

L'anello esterno dell'Anfiteatro Flavio si innalza di quasi 60 metri, l'asse maggiore dell'ellisse è di 188 metri e quello minore di 156. Intorno al monumento era un'area di rispetto, pavimentata in travertino e delimitata da grossi cippi di pietra, ancora oggi visibili nella parte settentrionale e orientale della piazza. L'anello esterno in travertino (conservato solo nel settore settentrionale) è suddiviso in quattro piani sovrapposti: i primi tre sono costituiti da una serie di arcate inquadrate in semicolonne tuscaniche al primo piano, ioniche al secondo e corinzie al terzo. ▶

The structure of the monument

The outer ring of the Flavian Amphitheatre rises to a height of almost 60 metres; the greater axis of the ellipse measures 188 metres and the smaller 156. The monument was surrounded by an open area paved in travertine and bounded by big stone pillars, still visible on the north and east sides of the square. The outer ring of travertine (preserved only on the north side) is divided into four tiers: the first three consist of arches framed by Tuscanic demi-columns in the first tier, Ionic in the second, and Corinthian in the third. ▶

Particolare degli ordini architettonici e dell'attico
alla pagina a fianco
Veduta generale del fronte nord-orientale meglio conservato e dello sperone eretto da Raffaele Stern
alla pagina 28
Primo ordine, l'ingresso settentrionale. Sullo sfondo, ove oggi è la croce, era uno dei due palchi riservati alle più alte cariche dello stato
alla pagina 29
Settore dei sotterranei

Detail of the architectural orders and the attic story
opposite page
General view of the better preserved north-east wall and the spur-shaped buttress built by Raffaele Stern
page 28
First order, north entrance. In the background, where the cross stands today, there used to be one of the two podiums reserved for the highest orders of the state
page 29
A sector of the subterranean structures

La struttura del monumento
The structure of the monument

La struttura del monumento
The structure of the monument

alla pagina a fianco
Ambulacro
nei sotterranei
a lato
Versante
settentrionale:
veduta interna
del primo corridoio
anulare
sotto
Corridoio anulare

opposite page
A subterranean
passage
facing
North side: view
of the interior of
the first concentric
passageway
below
A concentric
passageway

Parte di transenna di *vomitorium* in marmo lunense con scena di *venatio*: un cane azzanna un erbivoro. Roma, Colosseo
alla pagina a fianco Ingresso occidentale, detto *porta Triumphalis*, attraverso la quale entrava la pompa, il corteo che, dopo gli omaggi all'imperatore, dava inizio ai giochi
a destra Corridoio anulare del primo ordine

Part of the parapet of the *vomitorium* in marble from Luna, decorated with a scene of *venatio*: a hound attacking a herbivore. Rome, Coliseum
opposite page West entrance, called the *Porta Triumphalis*, through which entered the *pompa*, the procession which opened the games after paying homage to the emperor
right Concentric passageway of the first tier

Il quarto piano è un attico cieco suddiviso da lesene corinzie in scomparti dove, a intervalli regolari, si aprono finestre quadrate. Al di sopra delle finestre sporge una serie di mensole poste in corrispondenza di fori nel cornicione superiore: con questo sistema si fissavano i pali destinati a sorreggere il grande velario che veniva steso sopra la cavea per riparare gli spettatori dal sole.

Gli spettatori avevano accesso all'anfiteatro dalle arcate a pianterreno, ognuna delle quali era segnata da un numero progressivo che facilitava lo smistamento del pubblico; non erano numerate le entrate sull'asse minore perché riservate alle autorità, e quelle sull'asse maggiore, destinate all'entrata dei gladiatori. Proprio dall'ingresso settentrionale, preceduto da un piccolo portico che ne sottolineava l'importanza, si accedeva alla tribuna imperiale, posta al centro del settore nord della cavea e oggi non più visibile perché precocemente smantellata.

Una volta entrati, gli spettatori si dirigevano ai propri posti seguendo dei percorsi obbligati che si differenziavano a seconda del settore della cavea destinato: l'ingresso era infatti gratuito per tutti, ma i posti erano rigidamente assegnati in base alla classe sociale di appartenenza e ogni romano aveva una tessera con l'indicazione del posto che poteva occupare. Questo sistema di rampe, scale e passaggi non solo permetteva di distribuire gerarchicamente il pubblico su

The fourth tier is a blind attic divided by Corinthian pilasters into sections where square windows are set at regular intervals. Above the windows projects a series of corbels set under the holes in the upper cornice: they were used to embed poles that supported the great awning that was spread over the cavea to shade the spectators from the sun.

The spectators entered the amphitheatre through the arches on the ground floor, each of which was progressively numbered, which made it easier to direct the public to their seats. The entrances set on the shorter axis were not numbered because they were reserved for the authorities, while those on the longer axis were for the gladiators. The north entrance, which was marked by a small portico to stress its importance, gave access to the emperor's stand, set in the middle of the north side of the cavea. Today it is no longer visible because it was dismantled at an early date.

Once inside the spectators headed for their seats, following fixed routes that were differentiated depending on the area of the cavea to which they had been assigned. Admission was free for all, but the seats were rigidly assigned on the basis of social class and every Roman had a tessera or pass that showed the place he could occupy. The system of ramps, steps and passages not only enabled the public to be seated hierarchically on the tiers of seats, but it was also devised to enable the crowd to enter and leave rapidly.

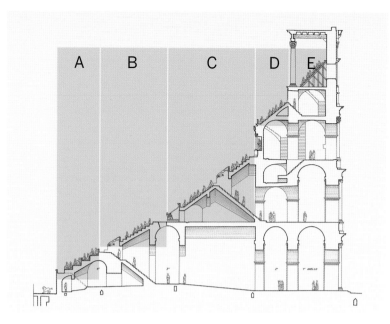

A B C D E

Sezione ricostruttiva della cavea dell'anfiteatro:
A *Ima cavea*
B *Maenianum primum*
C *Maenianum secundum imum*
D *Maenianum secundum summum*
E *Maenianum summum in ligneis*
alla pagina a fianco
Veduta parziale della cavea dal piano dell'arena

Reconstruction of the section through the cavea of the amphitheatre:
A *Ima cavea*
B *Maenianum primum*
C *Maenianum secundum imum*
D *Maenianum secundum summum*
E *Maenianum summum in ligneis*
opposite page
Partial view of the cavea from the floor of the arena

34

tutte le gradinate, ma era anche ideato per consentire un rapido afflusso e deflusso della folla.

Il settore più basso della cavea (*ima cavea*) era riservato ai senatori e alle loro famiglie; era arredato non con gradinate come gli altri settori (il restauro compiuto negli anni trenta in corrispondenza dell'ingresso orientale si è dimostrato errato), ma con veri e propri sedili in pietra. Essendo questi i posti più vicini all'arena e quindi i più pericolosi, erano costruiti su un alto podio sormontato da una ringhiera di sicurezza. L'iscrizione parzialmente ricostruita sui blocchi marmorei di reimpiego del parapetto al di sopra del podio fu fatta incidere dal prefetto urbano Flavio Paolo in occasione di un intervento di restauro alla metà del V secolo d.C.

Le iscrizioni ancora presenti sui posti riservati ai senatori riportano i nomi dei destinatari: quelle conservate si riferiscono a personaggi del IV-V secolo d.C., gli ultimi che hanno occupato quei seggi. Tutto ciò a differenza degli altri *loca*, dove le epigrafi indicano non il nome del singolo ma le magistrature, i collegi sacerdotali, le categorie sociali e i gruppi etnici che in genere potevano sedere in quei posti.

Il secondo settore (*maenianum primum*) consisteva di gradinate in marmo riservate agli esponenti dell'ordine equestre. Salendo ancora, vi erano i posti della plebe cui erano destinati il terzo (*maenianum secundum imum*), il quarto (*maenianum secundum summum*) e il quinto settore (*maenianum summum in ligneis*), natu-

The lowest area of the cavea (*ima cavea*) was reserved for the senators and their families; furnished not like the other seat areas (the restoration of the eastern entrance completed in the thirties has been proved erroneous), but with proper seats made of stone. Since these places were the closest to the arena and so most dangerous, they were built on a tall podium surmounted by a safety railing. There is an inscription on the marble blocks reused from the parapet above the podium that has been partly reconstructed, carved by order of the urban prefect Flavius Paulus during a restoration project in the middle of the fifth century A.D.

The inscriptions still present on the seats assigned to the senators record the names of those who occupied them: the names that have survived are of personages from the fourth–fifth centuries A.D., the last to have occupied the seats. The other *loca* (seats), where the epigraphs reveal not the name of the individual but the fact that magistrates, colleges of priests, social classes and ethnic groups were permitted to sit there.

The second sector (*maenianum primum*) consisted of seats in marble reserved for representatives of the equestrian order. Further up were the places of the plebs, who occupied the third (*maenianum secundum imum*), the fourth (*maenianum secundum summum*), and the fifth sector (*maenianum summum in ligneis*), naturally the most crowded. The latter, which corresponded to the external attic, was made of a series of wooden

ralmente i più affollati. Quest'ultimo, in corrispondenza dell'attico esterno, era costituito da gradinate lignee e coronato da un portico colonnato di cui in loco non rimane più alcuna traccia: i capitelli superstiti si possono oggi vedere nell'ambulacro coperto al secondo piano. Nel piano più alto dovevano sedere anche le donne, segno della scarsa considerazione sociale di cui godevano a Roma.

Assai complesso era infine il sistema di raccolta e canalizzazione delle acque in tutto il monumento, che ospitando migliaia di persone per giorni interi doveva essere attrezzato dei servizi fondamentali, quali latrine, fontane ecc. A tal proposito, la capienza del Colosseo è ancor oggi dibattuta. Varie sono le ipotesi avanzate dagli studiosi, ma stando alle fonti antiche e alle misurazioni moderne, la più probabile ammette poco meno di sessantamila posti.

Oggi non è facile farsi un'idea di come apparisse in antico l'interno del monumento: non solo per la mancanza delle gradinate della cavea, ma anche per le strutture ipogee completamente a vista. In realtà, i sotterranei di servizio erano nascosti dall'arena, costituita da un tavolato di legno; i gladiatori vi accedevano dagli ingressi sull'asse maggiore: entravano dalla *porta Triumphalis*, a ovest, e uscivano – per lo più cadaveri – dalla *porta Libitinaria* a est. Le strutture sotterranee erano fondamentali per lo svolgimento dei giochi e delle cacce: vi erano infatti ospitati gli animali e l'arma-

steps crowned with a colonnaded portico of which no trace remains: the capitals that survive can be seen today in the covered ambulatory on the second floor. Women also occupied the highest tier of seats, a sign of the meagre social distinction they enjoyed in Rome.

Finally, there was a highly complex system of collecting and channelling water from all parts of the edifice. Since it accommodated tens of thousands of people for days on end, it must have been equipped with the basic facilities, such as latrines, fountains, etc. In this respect, the capacity of the Coliseum is still debated by scholars. There are various theories, but judging by the ancient sources and measurements of the building, the most likely estimate is that it could seat almost sixty thousand people.

Today it is not easy to form an idea of what the interior of the Coliseum was like in ancient times. This is not only because the steps of the cavea are now missing, but also because of the underground structures which have been left visible. In reality, these hypogeal structures were hidden by the arena, made of wooden planking. The gladiators made their entry through gates set on the major axis: they entered from the *Porta Triumphalis*, to the west, and went out—usually as corpses—through the *Porta Libitinaria* to the east. The underground structures were essential to the functioning of the combats and the *venationes* or wild-beast hunts: they contained the animals and the machinery that raised to the level

Capitello corinzio figurato dal colonnato della *porticus in summa cavea*, databile tra la fine del I secolo e l'età antonina. Roma, Colosseo

alla pagina a fianco, a sinistra
Terminale di transenna di *vomitorium* in marmo proconnesio con zampe leonine e testa di grifo. Roma, Colosseo

a destra
Parte di transenna di *vomitorium* in marmo proconnesio con delfino. Roma, Colosseo

Figured Corinthian capital of the *porticus in summa cavea*, dating from between the late first century A.D. and the Antonine period. Rome, Coliseum

opposite page, left
End of the parapet of a *vomitorium* made of marble from Proconnesus decorated with lion claws and gryphon head. Rome, Coliseum

right
Part of the parapet of a *vomitorium* in marble from Proconnesus decorated with a dolphin. Rome, Coliseum

mentario necessario a sollevare sull'arena i complessi apparati scenici che facevano da sfondo agli spettacoli. Questo settore dell'anfiteatro fu completato da Domiziano: alcune fonti ricordano naumachie (battaglie navali) qui organizzate dai Flavi, ma ciò dovette essere prima della costruzione dei sotterranei. In ogni caso, le strutture conservate risalgono ai numerosi interventi di restauro eseguiti nei secoli successivi in conseguenza di incendi e terremoti.

I sondaggi effettuati negli ultimi anni hanno permesso di esaminare meglio due delle gallerie che dagli ipogei sotto l'arena portavano all'esterno dell'edificio: il corridoio sull'asse centrale proseguiva infatti a est fino alla caserma dei gladiatori (il *Ludus Magnus*), e a sud un'altra galleria permetteva all'imperatore di accedere in tutta tranquillità al palco d'onore. La destinazione imperiale di questo ambiente, realizzato da Domiziano o da Traiano, si deduce dalla raffinatezza delle decorazioni rimaste (stucchi, rivestimenti marmorei, intonaci dipinti), e il nome che gli è stato attribuito, "il passaggio di Commodo", si basa proprio sulla notizia del tentato assassinio di questo imperatore in un corridoio sotterraneo del Colosseo.

of the arena the complex scenery that formed the backdrop to the shows.

This sector of the amphitheatre was completed by Domitian: some of the sources record naumachie (naval battles) here organised by the Flavian emperors, but that must have been before construction of the underground level. At any rate, the structure that now exists is the result of the numerous attempts at restoration made through the centuries to repair damage done by fires and earthquakes.

The surveys carried out in recent years have made it possible to examine more closely two of the tunnels that led from the hypogeum under the arena to outside the building: the passage on the central axis continued eastward as far as the barracks of the gladiators (the *Ludus Magnus*) and to the south another gallery gave the emperor easy access to the stand of honour. The fact that this tunnel, built by Domitian or Trajan, was used by the emperors is deduced from the refinement of the decorations that remain (stucco, walls faced with marble, and painted plaster). The name it was given, "the passage of Commodus," grew out of the attempted assassination of this emperor in an underground passage of the Coliseum.

40

Il *Ludus Magnus* e gli altri edifici "di servizio" nella valle

Subito a est del Colosseo sono i resti della più grande caserma per gladiatori di Roma: il *Ludus Magnus*. Ciò che è stato portato alla luce dagli scavi compiuti tra gli anni trenta e sessanta è solo la parte settentrionale dell'edificio, che dalla forma semiellittica appare come un piccolo anfiteatro.

Il ritrovamento di un frammento della *Forma Urbis* severiana che riporta la pianta del *Ludus* ha poi permesso di collocare tutt'intorno alla cavea un portico su cui si aprivano le celle dei gladiatori. ▶

The *Ludus Magnus* and the other facilities in the valley

Just east of the Coliseum are the remains of the largest barracks for gladiators in Rome: the *Ludus Magnus*. The remains revealed by the excavations completed between the 1930s and 1960s covered the northern part of the building, whose semi-elliptical shape suggests it was a small amphitheatre.

The finding of a fragment of the Severian *Forma Urbis Romae* with the plan of the *Ludus* indicated that there was a portico running round the cavea, onto which opened the cells of the gladiators. ▶

42 Costoro infatti qui non solo si esercitavano, allenandosi ogni giorno secondo una rigida disciplina, ma vivevano in uno stato di prigionia. Il *Ludus Magnus*, costruito da Domiziano e poi restaurato da Traiano, non era l'unica caserma per i gladiatori del Colosseo. Dalle fonti sappiamo che sulla piazza si affacciavano altri tre edifici con funzioni analoghe: il *Ludus Matutinus* per i *venatores* (gli addetti alla caccia alle fiere), il *Ludus Dacicus* e il *Ludus Gallicus*, che traggono il nome dal luogo di origine dei gladiatori che vi alloggiavano (rispettivamente la Dacia e la Gallia). Vi erano inoltre, probabilmente più a nord, i *Castra Misenatium*, la caserma dove risiedevano i marinai della flotta di Miseno addetti alle manovre del velario. Una complessa macchina da spettacolo quale era il Colosseo aveva bisogno anche di altri servizi nelle vicinanze: il *Sanitarium*, dove si curavano i gladiatori feriti, lo *Spoliarium*, dove se ne raccoglievano i cadaveri, l'*Armamentarium*, il deposito delle armi, il *Summum Choragium* o magazzino delle macchine sceniche.

Here they would exercise, training every day according to a rigid system of discipline, but they were held in imprisonment. The *Ludus Magnus*, built by Domitian and restored by Trajan, is not the only barracks for gladiators who fought in the Coliseum. From the sources we know that there were three other buildings on the square with the same function: the *Ludus Matutinus* for the *venatores* (gladiators who specialised in wild beast hunts), the *Ludus Dacicus* and the *Ludus Gallicus*, which took their names from the place of origin of the gladiators who lived in the building (respectively Dacia and Gaul). There were also, most likely further north, the *Castra Misenatium*, the barracks where the sailors of the fleet of Miseno who were in charge of raising and lowering the awning over the Coliseum lived. With its complex stage machinery, the Coliseum also needed other services in the neighbourhood: the *Sanitarium* where injured gladiators received treatment, the *Spoliarium*, where their corpses were taken, the *Armamentarium* (arms storehouse), the *Summum Choragium* or store for the props and scene machinery.

Il *Ludus Magnus* e gli altri edifici "di servizio" nella valle
The *Ludus Magnus* and the other facilities in the valley

Il mito del Colosseo

44

In età medievale, precisamente nel VII secolo, compare per la prima volta nelle fonti il nome di *Colysaeus* per l'Anfiteatro Flavio: questo nome deriva con tutta probabilità non tanto dalle grandi dimensioni dell'edificio, ma dalla statua colossale eretta da Nerone e rimasta nelle vicinanze dell'anfiteatro. Questo particolare è una delle tante conferme, insieme a quanto emerge dalle fonti medievali, del fatto che si era ormai persa da tempo la memoria dell'originaria funzione dell'edificio, attorno al quale erano fiorite le più svariate leggende. Alcune guide medievali ne parlano, sempre con quell'alone di mistero che circonda le cose pagane, come del tempio del Sole; altre, ricordando come l'aveva definito lo scrittore cristiano Tertulliano, lo catalogano con sdegno e paura come il tempio consacrato a tutti i demoni. ►

The myth of the Coliseum

In Middle Ages, more precisely in the seventh century, the sources first begin to apply the name *Colysaeus* to the Flavian Amphitheatre. This name, in all probability, referred not so much from the dimensions of the building but from the colossal statue erected by Nero which remained in the vicinity of the amphitheatre. This is further confirmation, together with what we find in the mediaeval sources, of the fact that by this period the memory of the original function of the building had long been lost and it was surrounded by the most varied legends. ►

Louis-Joseph Duc,
*L'ordine corinzio
del secondo piano
del Colosseo*, 1831
Parigi, École
Nationale Supérieure
des Beaux-Arts

Louis-Joseph Duc,
*Corinthian order
of the second story
of the Coliseum*,
1831. Paris, École
Nationale Supérieure
des Beaux-Arts

46

Solo più tardi gli studi di umanisti come Poggio Bracciolini e Flavio Biondo riscoprono il vero uso dell'edificio e lo riconoscono come l'Anfiteatro Flavio di cui parlavano le fonti antiche. Pur se sempre più in rovina e isolato dal centro della città, che con il trasferimento della sede pontificia in Vaticano nel XIII secolo si era spostato più a ovest, il Colosseo quasi paradossalmente comincia ad acquistare un rilievo maggiore nella coscienza comune, divenendo con la sua mole e la sua storia secolare non solo il simbolo dell'*Urbs Aeterna* ma anche, con uno stravolgimento di significato, della vittoria del cristianesimo sui suoi persecutori. Già nel VII secolo il venerabile Beda aveva profetizzato: "Finché sarà il Colosseo sarà Roma, quando cadrà il Colosseo cadrà anche Roma e quando cadrà Roma cadrà il mondo".

Some mediaeval guides speak of it, with that halo of mystery that surrounded pagan things, as the Temple of the Sun; others, remembering the words of the Christian writer Tertullian, described it with indignation and fear as a temple consecrated to all the devils. Only later did the studies of humanists like Poggio Bracciolini and Flavio Biondo recover the true function of the building and recognize it as the Flavian Amphitheatre of which the ancient sources speak. Though now a ruin and isolated from the centre of the city, which had shifted westward with the transfer of the seat of papal government to the Vatican in the thirteenth century, the Coliseum almost paradoxically began to take hold of the common awareness, its great size and centuries of history making it not only the symbol of the *Urbs Aeterna* but also, distorting its significance, till it became the symbol of the triumph of Christianity over its persecutors. Already in the seventh century the venerable Bede had prophesied: "As long as the Coliseum stands, Rome will stand, when the Coliseum falls, Rome will fall too, and when Rome falls the world will fall."

ORDRE CORINTHIEN
PORTIQUE DU DEUXIEME ETAGE
DETAILS

IMPOSTE

STYLOBATE

Incisione di un elmo
gladiatorio. Napoli,
Museo Archeologico
Nazionale

Engraving of a
gladiatorial helmet.
Naples, Museo
Archeologico
Nazionale

Gli spettacoli nel Colosseo

48 L'anfiteatro era la sede dei giochi gladiatori (*munera*) e delle cacce ad animali feroci (*venationes*). Le giornate di spettacoli iniziavano la mattina con le *venationes* e con le *damnationes ad bestias* (le condanne a morte di criminali, fatti sbranare dalle fiere), proseguivano nell'intervallo del pranzo con spettacoli musicali e si concludevano nel pomeriggio con gli attesissimi combattimenti tra gladiatori. ▶

The spectacles of the Coliseum

The amphitheatre was used for gladiatorial games (*munera*) and wild-beast hunts (*venationes*). The entertainments began early in the morning with the *venationes* and *damnationes ad bestias* (the execution of the criminals sentenced to death, who were torn apart by wild beasts); they continued through lunchtime with musical entertainments and then the afternoons concluded with the long-awaited combats between gladiators. ▶

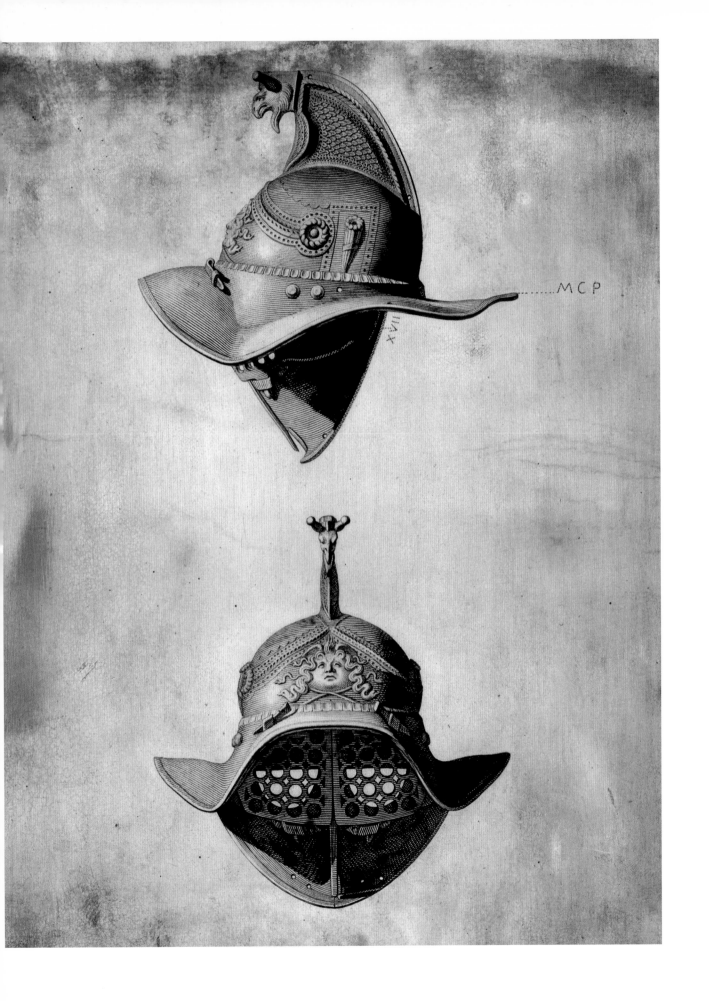

MCP

50

Il pubblico romano rimaneva quindi giornate intere chiuso nell'anfiteatro, con il caldo e con il freddo, pur di assistere a spettacoli che la sensibilità moderna giudica atroci. I magistrati facevano a gara per organizzare eventi di questo tipo e ingraziarsi così il favore del popolo; gli stessi imperatori offrivano giochi di grande spettacolarità, e i gladiatori più forti e vincenti erano veri e propri beniamini del pubblico, nonché delle matrone romane! L'origine della gladiatura è stata rintracciata nella consuetudine arcaica del sacrificio umano per placare gli spiriti dei defunti: si capisce quindi come questi combattimenti siano diventati una sorta di rituale collettivo in associazione a funerali di personaggi importanti della comunità e come si siano tramutati in un'esibizione di potere e ricchezza da parte della classe aristocratica.

Questo sviluppo storico si può ben seguire in ambiente osco-lucano, che per tal ragione gli studiosi ritengono essere l'origine geografica dei *munera* (altri propendono per un'origine etrusca). In Campania inoltre furono costruiti i primi anfiteatri stabili, fra i più antichi quello di Pompei, a testimonianza del successo che questi spettacoli vi godevano. A Roma invece i giochi gladiatori mantennero a lungo un carattere occasionale, anche se frequente, e relativamente tardi dunque fu sentita la necessità di un edificio che li ospitasse stabilmente: ap-

In this way the Roman public spent whole days at the amphitheatre, in hot weather and cold, watching spectacles that the modern sensibility considers atrocious and revolting. The magistrates vied with each other to organize events of this type and so ingratiate themselves with the people; the emperors themselves offered highly spectacular games and the strongest gladiators who proved most successful were favourites with the public, as well as with the Roman matrons! The origin of the gladiatorial combats can be traced to the archaic custom of human sacrifice to appease the spirits of the dead: it can therefore be understood how these fights became a sort of collective ritual associated with the funerals of important members of the community and gradually developed into a display of power and wealth by the aristocratic class.

This historical development can be traced quite clearly in the Oscan-Lucan regions, and for this reason scholars believe they must represent the geographical origin of the *munera* (while an Etruscan origin is favoured for the other kinds of spectacle). In Campania, moreover, the first permanent amphitheatres were built, with the one in Pompeii being among the most ancient, a sign of the success that these shows enjoyed. In Rome the gladiatorial games long remained occasional events, though frequent, and it was only at a relatively late date that the need was felt for a building that would

Gli spettacoli nel Colosseo
The spectacles of the Coliseum

Médaillon d'applique con combattimento gladiatorio. Nîmes, Musée Archéologique

Médaillon d'applique with gladiatorial combat. Nîmes, Musée Archéologique

54 punto il Colosseo. Ma chi erano allora i protagonisti di questi giochi? Normalmente si trattava di schiavi, prigionieri di guerra, condannati a morte, persone insomma la cui vita contava poco a quei tempi. Eppure sappiamo che anche uomini liberi scelsero la gladiatura come professione, di certo invogliati dalla fama che se ne poteva trarre, e dai compensi: ai vincitori infatti spettavano la palma e la corona della vittoria ma anche premi in denaro. I vinti invece andavano incontro a morte certa, se l'imperatore, l'*editor* (il magistrato che aveva organizzato i giochi) o il pubblico non concedevano la grazia prima del colpo finale. Negli scontri i gladiatori si distinguevano per l'armatura e per le tecniche di combattimento: vi erano i traci (*thraeces*), caratterizzati dall'elmo con alto cimiero, il piccolo scudo rotondo e la corta spada ricurva; i mirmilloni (*murmillones*), con elmo a forma di pesce, scudo e pugnale; i *retiarii*, che portavano come armi solo uno spallaccio metallico, la rete e il tridente; i *secutores*, gli avversari dei *retiarii*, armati di elmo, scudo allungato, gambali e spada, e altri ancora di cui poco sappiamo.

Anche le *venationes* nacquero come spettacoli offerti al popolo in cui si manifestavano potere e prestigio: non a caso, la prima volta in cui furono organizzate a Roma con animali esotici fu nel 186 a.C., in occasione del trionfo in Oriente del generale Fulvio Nobiliore. Senza dubbio, la presenza di animali fe-

enable them to be presented: hence the Coliseum. But who were the protagonists of these games? Normally they were slaves, prisoners of war, prisoners sentenced to death, all people whose life hardly counted in those times. And yet we know that free men also chose to become professional gladiators, certainly induced by the reputation it would give them and the rewards: the winners were awarded the palm and the crown of victory but also prizes in money. The vanquished met certain death, if the emperor, the *editor* (the magistrate that had organized the games), or the public refused to grant them mercy before the final blow. In their combats the gladiators were distinguished by their armour and techniques of fighting: there were the Thracians (*thraeces*), who had a helmet with high crest, a small round shield and a short curved sword; the *murmillones*, with fish-shaped helmets, shield and dagger; the *retiarii* armed only with a metal shoulder guard, a net and a trident; the *secutores*, the opponents of the *retiarii*, armed with helmet, long shield, gambals and sword, and yet others of whom we know little.

Also the *venationes* originated as shows presented for the people as displays of power and prestige: significantly the first time when exotic animals were presented in Rome was in 186 B.C. to celebrate the triumph in the East of the general Fulvius Nobilior. Clearly fierce animals like lions and leopards made these

roci come il leone e il leopardo contribuiva a rendere ancor più appassionanti agli occhi dei romani questi spettacoli, ma le strabilianti scenografie (sfondi naturali, ambientazioni mitologiche ecc.) in cui le cacce erano inserite nell'arena causavano emozioni sempre nuove. In età tardoantica, per motivi economici e religiosi, gli spettacoli nell'anfiteatro divennero sempre meno fastosi e sanguinosi. Insieme al degrado delle strutture del Colosseo cresceva lentamente anche il disinteresse per questo tipo di eventi, finché per decreto imperiale nel 438 vennero aboliti i giochi gladiatori, e quasi un secolo dopo le cacce.

spectacles even more fascinating in the eyes of the Romans; but the stunning scenery (with natural settings, mythological panoramas, etc.) in which the hunting scenes were set in the arena always aroused new excitement. In late antiquity, for economic and religious reasons, the shows in the amphitheatre became steadily less lavish and bloody. Together with the decay of the structures of the Coliseum, there was also a slowly growing indifference to these entertainments, until an imperial decree in 438 abolished the gladiatorial games and, almost a century later, those involving animals.

Questo volume
è stato stampato
per conto di
Mondadori Electa S.p.A.,
presso lo stabilimento
Mondadori Printing S.p.A.,
Verona, nell'anno 2008